Merci à Pascale Binant
pour sa relecture scientifique.

MIXTE
Papier issu
de sources
responsables
FSC® C022030

Loi n° 49-956 du 16 juillet 1949
sur les publications destinées à la jeunesse.
© Éditions Nathan, 2013
25 avenue Pierre de Coubertin 75211 Paris cedex 13
ISBN : 978-2-09-254575-1
N° d'éditeur : 10189675
Dépôt légal : août 2013
Imprimé en France par Pollina - L65175

les hommes de la préhistoire

Texte de **Cécile Jugla**
Illustrations de **Robert Barborini**

Nathan

L'installation du campement

C'est le printemps ! Ces hommes de la préhistoire vont s'installer ici, au bord de la rivière. Vite, il faut monter les tentes !

Qui sont ces personnes ?
Des hommes de Cro-Magnon que l'on nomme aussi *Homo sapiens*. Regarde comme ils nous ressemblent : ce sont nos ancêtres.

À quelle époque vivent-ils ?
Il y a plusieurs milliers d'années, à une période que l'on appelle la préhistoire.

Comment sont-ils arrivés là ?
À pied ! Ce sont de bons marcheurs, qui font de nombreux kilomètres par jour.

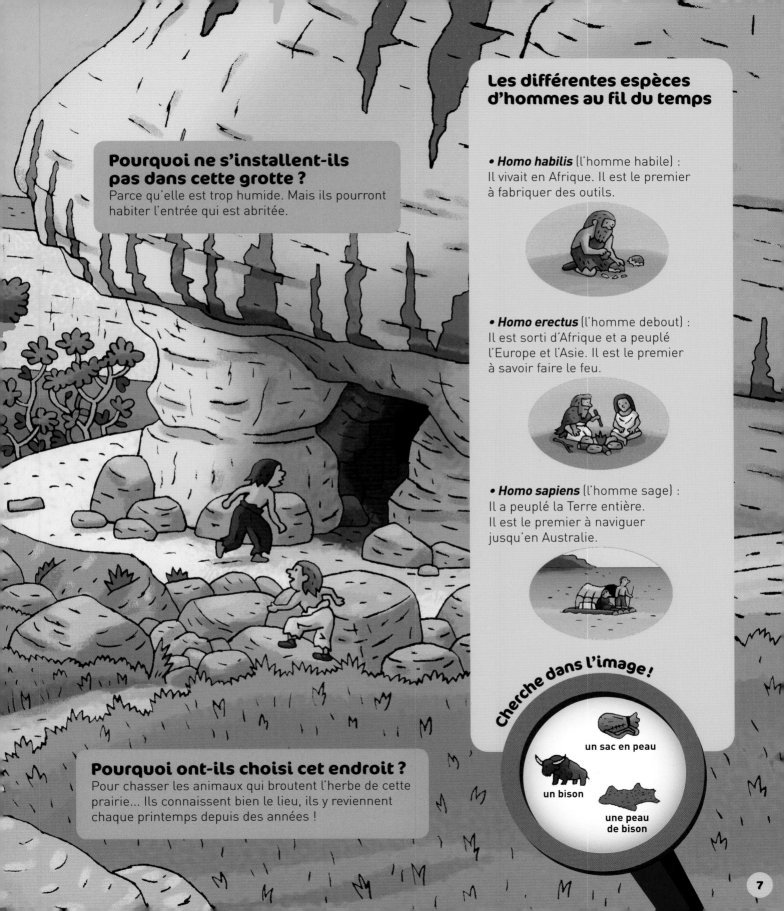

Pourquoi ne s'installent-ils pas dans cette grotte ?
Parce qu'elle est trop humide. Mais ils pourront habiter l'entrée qui est abritée.

Les différentes espèces d'hommes au fil du temps

• *Homo habilis* (l'homme habile) : Il vivait en Afrique. Il est le premier à fabriquer des outils.

• *Homo erectus* (l'homme debout) : Il est sorti d'Afrique et a peuplé l'Europe et l'Asie. Il est le premier à savoir faire le feu.

• *Homo sapiens* (l'homme sage) : Il a peuplé la Terre entière. Il est le premier à naviguer jusqu'en Australie.

Cherche dans l'image !

un sac en peau

un bison

une peau de bison

Pourquoi ont-ils choisi cet endroit ?
Pour chasser les animaux qui broutent l'herbe de cette prairie... Ils connaissent bien le lieu, ils y reviennent chaque printemps depuis des années !

La vie ensemble

20 personnes de familles différentes forment le groupe.
Ensemble, elles chassent, cuisinent... et font tout ce qui leur
est nécessaire pour vivre.

Ces hommes et ces femmes savent-ils parler ?
Oui. Mais quelle est leur langue ?
Chaque groupe a-t-il la sienne ? On l'ignore.

Comment sont montées leurs tentes ?
Ils attachent des branches en cercle,
qu'ils recouvrent de peaux d'animaux. Puis
ils calent le tout avec des pierres au sol.

Est-ce que chaque personne du groupe à un rôle ?
On a souvent dit que les hommes chassaient
et que les femmes cuisinaient au camp.
Mais il y devait y avoir de grandes
chasseuses et de bons cuisiniers.

Y a-t-il d'autres sortes de tentes ?

Dans certaines régions, les hommes construisent leurs tentes avec des os, des défenses et des peaux de mammouth.

Cet homme est-il le chef ?

Oui, et pour se distinguer des autres, il porte une coiffe et des habits ornés de perles.

Quand les hommes ont-ils construit des maisons ?

Beaucoup plus tard, quand ils n'ont plus eu besoin de se déplacer pour chercher leur nourriture.

Quel âge a cette vieille femme ?

50 ans maximum ! À l'époque, on soigne moins bien les maladies et les blessures : personne ne peut vivre jusqu'à 100 ans comme aujourd'hui !

Cherche dans l'image !

un foyer

une outre en peau

un poisson

Autour du feu

Voilà le groupe dans l'abri qu'il a aménagé sous la roche.
Tout le monde se retrouve autour du feu pour le repas du soir...

À quoi sert le feu ?
À plein de choses : cuire les aliments, s'éclairer, se chauffer, effrayer les bêtes sauvages...

Pourquoi cette femme pose-t-elle de la viande sur ce morceau de bois ?
Elle va utiliser la fumée du feu pour la faire cuire tout doucement. Cette viande fumée – c'est son nom – se conservera plus longtemps !

Pourquoi cet homme met-il des pierres dans ce sac ?
Elles sont brûlantes et vont servir à chauffer l'eau du sac pour faire de la soupe.

Que va faire cet homme avec ces os ?

Les jeter dehors. La poubelle n'a pas encore été inventée, alors on jette les déchets à même le sol.

Que mangent les hommes de Cro-Magnon ?

Beaucoup de viande, qui peut être crue, cuite ou bouillie. Mais aussi du poisson, des graines, des fruits...

Comment les hommes ont-ils appris à faire du feu ?

• Au départ, ils ont récupéré le feu, sur un arbre enflammé par la foudre, par exemple.

• Ensuite, ils ont su faire le feu en frappant un silex contre une pierre qui contenait du fer.

• Ils pouvaient aussi frotter un bâton sur une planche en bois.

Cherche dans l'image !

un os à moelle

un silex

une torche

11

Sous la tente

Il est tard. À la lueur des lampes, les adultes finissent leurs travaux pendant que tous les enfants dorment... ou presque !

Avec quoi coud cette femme ?
Une aiguille en os. Comme fil, elle utilise des tendons ou des lanières d'intestins de renne.

Pourquoi cet enfant boit-il encore le lait de sa maman ?
Parce qu'il n'y a pas de biberon et qu'on ne tire pas encore le lait des vaches ! Les mamans allaitent donc leurs enfants pendant 2 ou 3 ans...

Y a-t-il des lits pour dormir ?
Non. On dort à même le sol, sur un tas de feuillages ou d'herbes. Et pour avoir bien chaud, on se recouvre d'une épaisse peau de renne ou de bison.

Que fabrique cet homme ?

Il perce des dents d'animaux pour en faire un bracelet ou un collier. Il aurait pu aussi utiliser des perles ou des coquillages.

Les enfants ont-ils des jouets ?

Ils ont sûrement des poupées ou des armes de chasse miniatures pour imiter leurs parents !

Les hommes de la préhistoire ont-ils toujours eu des habits ?

Non. Mais pour résister au froid, ils ont inventé les vêtements en assemblant des peaux d'animaux.

Sont-ils coquets ?

Ils portent des bijoux, leurs habits peuvent s'orner de perles et ils se maquillent sans doute.

Cherche dans l'image !

une poupée

une tunique à capuche

un collier

L'atelier de taille

De bon matin, au pied de la falaise, les artisans du groupe taillent dans la pierre des outils et des armes. Quel talent !

Que fait cet homme avec cette grosse pierre ?
Il coupe dans un bloc de silex des lames bien tranchantes. Elles seront taillées pour fabriquer des outils.

C'est quoi, cette pierre pointue ?
Un perçoir. Il sert à faire des trous dans les peaux afin de les coudre ensemble.

À quoi va servir cette pointe ?
À faire une flèche ! Hé oui, l'arc a déjà été inventé...

Que fabrique cet homme ?

Une sagaie. C'est une lance formée d'une lame attachée au bout d'une branche avec un tendon d'animal.

Comment étaient les premiers outils ?

C'était des galets dont les bords avaient été taillés pour devenir coupants. On les appelle des choppers.

Plus tard, on a taillé des silex sur les deux faces : ce sont les bifaces.

Les outils et les armes ne sont-ils qu'en pierre ?

Non, on utilise aussi les os des animaux, l'ivoire des défenses de mammouth, les bois des cerfs ou le bois des arbres.

Pourquoi ces enfants sont-ils là ?

Pour apprendre à tailler la pierre. À cette époque, il n'y a pas d'école : les adultes transmettent aux plus jeunes ce qu'ils doivent savoir.

Cherche dans l'image !

un arc

un percuteur

un hibou

15

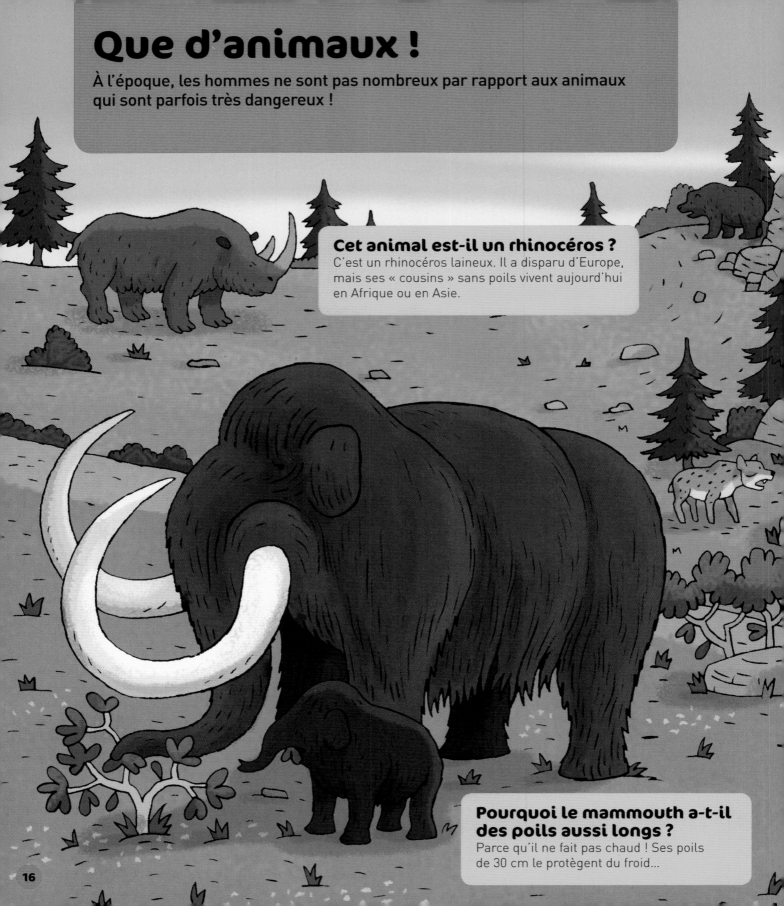

Que d'animaux !

À l'époque, les hommes ne sont pas nombreux par rapport aux animaux qui sont parfois très dangereux !

Cet animal est-il un rhinocéros ?
C'est un rhinocéros laineux. Il a disparu d'Europe, mais ses « cousins » sans poils vivent aujourd'hui en Afrique ou en Asie.

Pourquoi le mammouth a-t-il des poils aussi longs ?
Parce qu'il ne fait pas chaud ! Ses poils de 30 cm le protègent du froid...

Les hommes de Cro-Magnon savent-ils monter ces chevaux ?

Non, car ce sont des chevaux sauvages. Aucun animal n'a encore été domestiqué. Même pas les chiens ni les chats !

Quel est cet animal féroce ?

Un lion des cavernes. Cet énorme félin s'attaque surtout aux rennes.

Comment s'appelle cette drôle de vache ?

Un aurochs. C'est l'ancêtre de la vache. Haut de 2 m, il est impressionnant avec ses grandes cornes !

Y a-t-il des dinosaures à cette époque ?

Non ! Les dinosaures ont disparu bien avant que l'homme apparaisse sur la Terre. Ils n'ont jamais vécu ensemble !

Pourquoi les mammouths ont-ils disparu ?

On dit souvent que c'est à cause du climat qui s'est réchauffé. De nombreux animaux ont disparu en même temps qu'eux.

Cherche dans l'image !

un ours des cavernes

un mégacéros

une hyène des cavernes

La chasse

Tout le groupe est réuni pour chasser les bisons. Mais attention, les chasseurs peuvent se faire renverser ou recevoir un coup de corne !

Pourquoi chassent-ils ?
Pour manger la viande des animaux qu'ils tuent, pour transformer leurs os en outils, leurs peaux et leurs fourrures en habits...

Pourquoi chassent-ils en groupe ?
Pour tuer plus de bêtes et courir moins de dangers face au troupeau. Parfois, plusieurs groupes chassent ensemble !

Quelles armes utilisent-ils pour tuer ces animaux ?
Des sagaies qu'ils projettent avec un propulseur. Il permet au chasseur de lancer son arme plus fort et plus loin en se tenant à distance.

Que font ces personnes avec leurs torches ?

Ils effrayent les animaux pour les empêcher de s'enfuir.

Comment vont-ils transporter ce bison mort ?

Comme il est très lourd, ils vont le découper. Ils rapporteront plus facilement les morceaux au campement.

Quelles sont les autres techniques de chasse ?

• Les chasseurs piègent les gros animaux comme les mammouths dans des marécages ou de grandes fosses qu'ils ont creusées.

• Ils poursuivent les troupeaux de chevaux ou de rennes pour les faire tomber du haut d'une falaise.

• Un chasseur peut tuer des oiseaux ou des lièvres avec son arc et ses flèches.

Cherche dans l'image !

une fronde

un lièvre

un aigle royal

19

Pêche et cueillette

La chasse ne suffit pas à nourrir le groupe. Il faut aussi aller cueillir des plantes, ramasser du bois et pêcher.

Avec quoi pêche cette petite fille ?
Un harpon. Il possède des sortes de « dents » qui s'enfoncent dans la chair du poisson.

Que cueillent ces gens ?
Des fruits sauvages, des champignons et des racines. Le jeune garçon dans l'arbre va récolter le miel des abeilles. Gare aux piqûres !

Que va faire cet homme avec ces plantes ?
Elles vont lui servir à guérir un malade. Cet homme est une sorte de sorcier : il connaît les plantes qui soignent !

Pourquoi cette femme ramasse-t-elle des branches ?

Pour faire du feu ! Il faut beaucoup de bois pour alimenter les feux du campement.

Quel est le rôle du sorcier dans le groupe ?

Il peut soigner les malades...

... organiser des cérémonies « magiques » pour communiquer avec les « esprits »...

... ou aider les jeunes à passer de l'enfance à l'âge adulte.

À quoi sert ce sac en peau ?

C'est une outre. On l'utilise pour transporter l'eau de la rivière jusqu'au campement.

Cherche dans l'image !

un hameçon

un saumon

un fagot de bois

La grotte est peinte !

Au fond de la grotte, les artistes du groupe recouvrent les parois de nouvelles peintures. C'est magnifique !

Pourquoi peignent-ils ?
Ils veulent peut-être faire joli, raconter une histoire ou remercier les « esprits » ou les dieux de les avoir aidés à chasser.

Avec quoi peignent-ils les parois des grottes ?
Avec leurs mains ou leurs doigts et des pinceaux faits de poils d'animaux, de mousse ou de brindilles.

Comment fabriquent-ils leurs peintures ?
Avec des roches rouges, jaunes ou brunes mélangées à de l'eau ou à de la graisse. Ils utilisent aussi du charbon de bois, pour le noir.

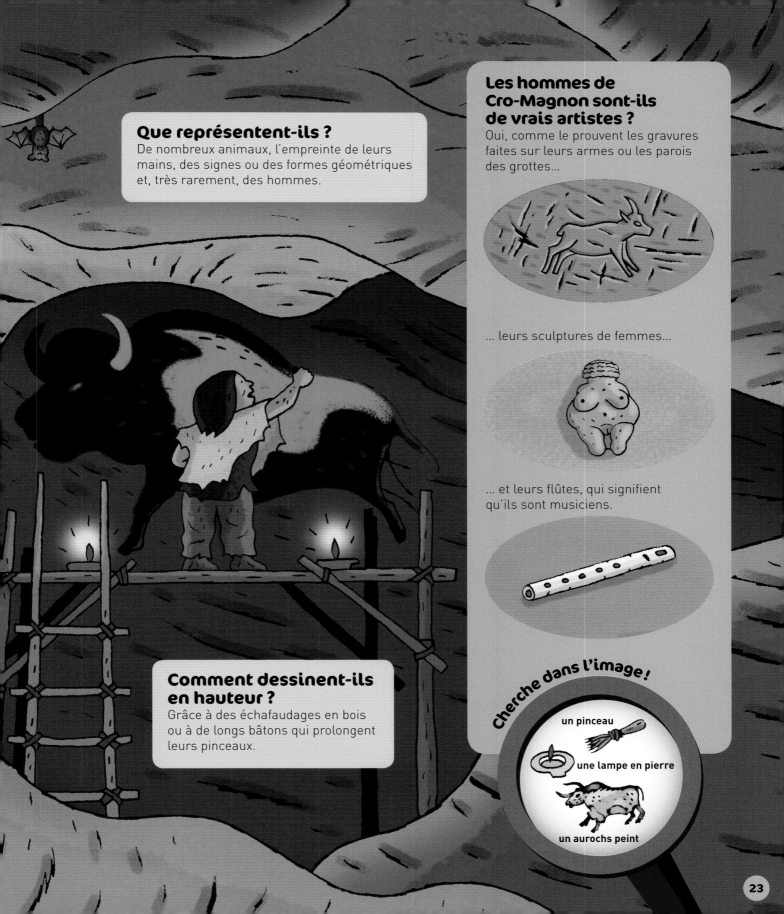

Que représentent-ils ?
De nombreux animaux, l'empreinte de leurs mains, des signes ou des formes géométriques et, très rarement, des hommes.

Les hommes de Cro-Magnon sont-ils de vrais artistes ?
Oui, comme le prouvent les gravures faites sur leurs armes ou les parois des grottes...

... leurs sculptures de femmes...

... et leurs flûtes, qui signifient qu'ils sont musiciens.

Comment dessinent-ils en hauteur ?
Grâce à des échafaudages en bois ou à de longs bâtons qui prolongent leurs pinceaux.

Cherche dans l'image !
un pinceau
une lampe en pierre
un aurochs peint

23

C'est la fête !

Ce soir, au campement, c'est la fête ! Le groupe retrouve un autre groupe qui revient d'une expédition de chasse. Il est allé très loin, là-bas, au bord de la mer...

Que s'offrent ces deux hommes ?

Le premier donne à l'autre un gros coquillage contre un outil qu'il ne connaît pas : un bâton percé. À l'époque, le troc remplace l'argent.

Que font ces hommes ?

De la musique. L'un racle un morceau d'os et l'autre fait tourner en l'air une rhombe, un instrument qui vrombit comme un avion !

Cette fille va-t-elle vivre avec ce garçon ?

Peut-être... Elle quittera alors son groupe pour celui de son « mari » et ils feront des enfants.

Comment font-ils la fête ?
Ils jouent de la musique, dansent, chantent,
frappent dans leurs mains...

Et plus tard, comment vivront les hommes ?
• Ils élèveront des animaux
et cultiveront des plantes.
Ils s'installeront dans des villages.

• Ils auront des outils en métal, feront
des pots en terre cuite et tisseront
la laine et le lin pour se faire des habits.

• Enfin, ils inventeront l'écriture.
Ce sera la fin de la préhistoire
et le début de l'histoire.

Que raconte cet homme ?
Des histoires pour expliquer le monde,
ses mystères et comment il a été créé...
C'est un conteur.

Cherche dans l'image !

un danseur

un loup

une flûte

25

Le chantier de fouilles

Des milliers d'années ont passé. Nous voilà aujourd'hui à l'endroit même où les hommes de Cro-Magnon avaient installé leur campement...

Comment sait-on tout cela sur les hommes de la préhistoire ?

Pendant longtemps, on n'a rien su de leur existence. Mais en fouillant le sol, en découvrant leurs grottes peintes, on a appris à les connaître.

Qui sont ces gens ?

Des savants qui étudient comment l'homme est apparu, s'est transformé et a vécu.

Qu'a découvert ce savant ?

Un squelette. On découvre aussi la trace des pas des hommes de la préhistoire et les os des animaux qu'ils chassaient !

Que font les savants de leurs découvertes ?

• Ils les emportent dans leur laboratoire. Là, ils les reconstituent ou imaginent les pièces manquantes.

• Ils les analysent en les étudiant au microscope.

• Et ils les exposent dans des musées pour que nous puissions les admirer !

Pourquoi y a-t-il plusieurs couches de terre ?

Elles appartiennent à des époques différentes : les couches les plus profondes sont les plus anciennes. Ainsi, on peut dater ce qu'on y trouve !

Cherche dans l'image !

un appareil photo

un pinceau

un crâne

Le singe est-il notre ancêtre ?

Non. Mais nous sommes « cousins » avec les grands singes, comme les chimpanzés, les orangs-outans et les gorilles, car nous avons un lointain ancêtre commun.

Les hommes de la préhistoire étaient-ils petits ?

Les premiers hommes n'étaient pas grands : ils mesuraient 1,40 m, la taille d'un enfant de 11 ans. Mais les hommes de Cro-Magnon, eux, dépassaient 1,70 m.

Les hommes de Cro-Magnon enterraient-ils leurs morts ?

Oui, comme les hommes de Neandertal. Les morts étaient habillés et repliés sur le côté. On a retrouvé dans leurs tombes des fleurs, de la poudre rouge, des cornes de bouquetin et des outils.

Qui était l'homme de Neandertal ?

Un *Homo sapiens*, comme l'homme de Cro-Magnon, qui vivait en même temps que lui. Il a disparu, sans qu'on sache pourquoi.

Par hasard ! En partant à la recherche de son chien qui courait après un lapin, un jeune garçon et ses 3 amis ont découvert la grotte ornée de ses fabuleuses peintures.

C'est quoi, la grotte Cosquer ?

Une grotte de la préhistoire découverte en 1991 près de Marseille, ornée de cerfs, mais aussi de pingouins ou de phoques... qui se trouve sous la mer ! À la préhistoire, on y entrait à pied, car le niveau de la mer était plus bas.